Algériennes

À MON AMI RICHARD HIPPEAU

DELOUPY

2

MERALLI - DELOUPY

Algériennes

1954 - 1962

MARAbulles

4

JE SUIS TOMBÉE SUR UN BARRAGE.

J'AI DEMANDÉ DE L'AIDE. ON CONTRÔLAIT LES ALGÉRIENS. COMME J'ÉTAIS FRANÇAISE DE FRANCE, J'AI PU PASSER SANS PROBLÈME.

JE N'Y SUIS JAMAIS RETOURNÉE...

QUAND ON S'EST QUITTÉS SUR LE QUAI DE LA GARE, POUR MON DÉPART, TON PÈRE PLEURAIT DE TERREUR.

C'EST LA PREMIÈRE FOIS QUE J'AI COMPRIS QU'IL AVAIT VÉCU DES CHOSES TRÈS DURES. C'EST D'AILLEURS LA SEULE FOIS OÙ JE L'AI VU PLEURER.

J'AI BEAUCOUP PRIÉ POUR QU'IL REVIENNE SAIN ET SAUF. GRÂCE À DIEU, MON VŒU A ÉTÉ EXAUCÉ.

C'EST BIEN DE POSER DES QUESTIONS À TON PÈRE.

SI TU VEUX EN SAVOIR PLUS, J'AI MON AMIE SAÏDA QUI EST ALGÉRIENNE... JE PEUX TE DONNER SON NUMÉRO, ELLE POURRA TE RENSEIGNER...

12

SAÏDA

QUAND J'ÉTAIS JEUNE, MON PÈRE N'ÉTAIT JAMAIS À LA MAISON : IL AVAIT FUI DANS LE MAQUIS POUR DEVENIR MOUDJAHIDINE. MES DEUX FRÈRES ONT FINI PAR LE REJOINDRE.

À LA MAISON, IL NE RESTAIT QUE LES FEMMES.

ON SE DÉBROUILLAIT SEULES.

UN JOUR, MON PÈRE A RETROUVÉ LE CORPS DE SON FRÈRE, SANS TÊTE, JETÉ DANS UNE FOSSE AVEC DES ANIMAUX.

IL NE M'A JAMAIS DIT QUI L'AVAIT TUÉ.
JE PENSE QUE C'ÉTAIT UN CRIME ENTRE ARMÉES INDÉPENDANTISTES ENNEMIES.

IL Y A EU BEAUCOUP DE MEURTRES ENTRE ALGÉRIENS... EN PLUS GRAND NOMBRE, PEUT-ÊTRE, QUE CEUX CAUSÉS PAR LES FRANÇAIS.

C'EST À CE MOMENT-LÀ QU'IL S'EST ENGAGÉ DU CÔTÉ FRANÇAIS... IL EST DEVENU UN HARKI.

EN TANT QUE HARKI, IL AVAIT REJOINT LE CONTINGENT FRANÇAIS EN RENFORT.

L'ARMÉE FRANÇAISE RECRUTAIT DES ALGÉRIENS POUR MONTRER QUE LA FRANCE ÉTAIT DE NOTRE CÔTÉ.

IL AIDAIT À SURVEILLER DES FERMES OU À TRAQUER DES RÉSISTANTS...

MAIS LA FIN DE LA GUERRE SONNAIT ET MON PÈRE AVAIT PEUR DES REPRÉSAILLES : IL Y AVAIT EU BEAUCOUP DE MASSACRES D'EUROPÉENS ET DE HARKIS DEPUIS QUE LA FRANCE SE RETIRAIT.

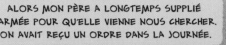
ALORS MON PÈRE A LONGTEMPS SUPPLIÉ L'ARMÉE POUR QU'ELLE VIENNE NOUS CHERCHER. ON AVAIT REÇU UN ORDRE DANS LA JOURNÉE.

DOUYA? RÉVEILLE-TOI, ILS ARRIVENT !

SAÏDA, J'AI QUELQUE CHOSE POUR TOI.

TIENS, GARDE ÇA AVEC TOI, S'IL TE PLAÎT.

CE SONT TOUS MES TRÉSORS.

JE ME SOUVIENDRAI TOUJOURS DU REGARD DE MA GRAND-MÈRE QU'ON A LAISSÉE EN PLEURS CE JOUR-LÀ.

JE NE L'AI PLUS JAMAIS REVUE.

ON NOUS A LOGÉS DANS UN CAMP IMMENSE. JE ME RAPPELLE DU GRIS, PARTOUT. COMME DANS UNE PEINTURE SALE.

25

NOUS ÉTIONS TOUTE LA FAMILLE DANS UNE SEULE TENTE, SANS INTIMITÉ NI SÉPARATION.

DES SOLDATS PASSAIENT AVEC DE GROSSES MARMITES, ON NOUS SERVAIT DES REPAS DANS DES BOLS OU DES GAMELLES EN ALU. L'HIVER, C'ÉTAIT DUR : LA NEIGE, LE FROID... ON SE SERRAIT DANS LA TENTE.

26

QUAND LE VENT SOUFFLAIT, LES TOILES CLAQUAIENT DANS UN BRUIT DE TEMPÊTE. ALORS ON SE BLOTTISSAIT LES UNS CONTRE LES AUTRES. JE NE COMPRENAIS PAS TROP CE QUI SE PASSAIT, MAIS JE SENTAIS BIEN QUE CE N'ÉTAIT PAS NORMAL. MON PÈRE AVAIT AIDÉ L'ALGÉRIE, IL AVAIT AIDÉ LA FRANCE, ET ON SE RETROUVAIT LÀ...

LE PLUS DUR, C'ÉTAIT LES DOUCHES COLLECTIVES. TOUTES LES FEMMES ÉTAIENT NUES, CÔTE À CÔTE. UNE FRANÇAISE SURVEILLAIT QU'ON N'AIT PAS DE POUX OU DE MALADIES ET DONNAIT, À CERTAINES, UN MORCEAU DE SAVON QUAND IL EN RESTAIT. IL FALLAIT FAIRE VITE MAIS L'EAU ÉTAIT GLACÉE.

J'AVAIS TRÈS PEUR D'ELLE CAR ELLE CRIAIT TOUJOURS : « ALLEZ FATMA, DÉPÊCHE-TOI ! » MAIS JE NE COMPRENAIS PAS À QUI ELLE PARLAIT PUISQU'AUCUNE DE NOUS NE S'APPELAIT AINSI.

LE JOUR, ON N'AVAIT PAS LE DROIT DE SORTIR, SURTOUT LES FEMMES ! UN MATIN, JE SUIS QUAND MÊME ALLÉE CHASSER DES ÉCUREUILS AVEC DES GARÇONS POUR LES REVENDRE SUR LE MARCHÉ. QUAND JE SUIS RENTRÉE, MON PÈRE M'A PASSÉ UN SACRÉ SAVON PARCE QUE J'ÉTAIS SORTIE DU CAMP...

LES CONDITIONS DE VIE ÉTAIENT SI DURES QU'UN JOUR UN VOISIN EST SORTI AVEC UNE ARME POUR TIRER PARTOUT. IL ÉTAIT DEVENU COMPLÈTEMENT FOU.

IL A FINI PAR TUER TOUTE SA FAMILLE AVANT D'ÊTRE ABATTU PAR UN MILITAIRE.

27

LES FEMMES SE SONT NATURELLEMENT ENTRAIDÉES. ELLES SE RETROUVAIENT POUR SE RACONTER DES HISTOIRES OU POUR PARTAGER DES VÊTEMENTS. QUAND IL Y AVAIT UN ACCOUCHEMENT, ELLES S'IMPROVISAIENT SAGE-FEMMES. ON VIVAIT TOUS ENSEMBLE, COMME UNE GRANDE FAMILLE.

QUAND LE VENDEUR AMBULANT PASSAIT, ELLES S'APPELAIENT TOUTES POUR FAIRE LEURS EMPLETTES : DES BROSSES, DES HABITS... SOUVENT ON SE RÉUNISSAIT POUR DÉGUSTER UN PLAT ENSEMBLE.

ALLER EN ALGÉRIE ?

NI UNE, NI DEUX, J'AI PROFITÉ DE QUELQUES CONGÉS POUR PARTIR EN VACANCES ET MENER MA PETITE ENQUÊTE.

JE VOULAIS COMPRENDRE COMMENT DES INNONCENTS PEUVENT S'ENTRETUER.

COMPRENDRE POURQUOI ON PARLE SI PEU DE CETTE HISTOIRE.

COMPRENDRE POURQUOI UNE GUERRE, QUI A ÉTÉ PLUS LONGUE QUE LA SECONDE GUERRE MONDIALE, EST SI PEU PRÉSENTE DANS NOTRE MÉMOIRE.

CONCERNANT LES HARKIS, J'AI LU QU'ILS AVAIENT ÉTÉ RAPATRIÉS À LA FIN DE LA GUERRE, À PARTIR DE 1962, ET QU'ILS AVAIENT ÉTÉ LOGÉS DANS DES CAMPS, PARFOIS JUSQU'EN 1975...

CES CAMPS AVAIENT SERVI À D'AUTRES "RAPATRIÉS" AVANT EUX, COMME LES JUIFS SOUS L'OCCUPATION, LES RÉFUGIÉS RÉPUBLICAINS ESPAGNOLS, LES TZIGANES OU LES PRISONNIERS DE GUERRE ALLEMANDS...

35

DJAMILA

L'HISTOIRE OFFICIELLE DIT QUE LA GUERRE A COMMENCÉ LE 1ᵉʳ NOVEMBRE 1954 AVEC LES ATTAQUES DU FLN.

SOUNIA !

POUR D'AUTRES, ELLE A COMMENCÉ EN 1945 VOIRE DÈS 1830, AVEC L'INVASION DE L'ALGÉRIE PAR LA FRANCE...

POUR MA PART, LA GUERRE A COMMENCÉ PAR UNE BELLE PAIRE DE CLAQUES.

C'ÉTAIT EN 1951. J'ÉTAIS À L'ÉCOLE À ALGER. LA GUERRE N'ÉTAIT PAS ENCORE LÀ... ENFIN, PAS TOUT À FAIT.

SOUNIA, VOUS AVEZ DES POUX !

À L'ÉCOLE, IL Y AVAIT DES RANGÉES SÉPARÉES POUR LES « FRANÇAIS DE FRANCE » ET LES « FRANÇAIS MUSULMANS ».

ÇA NE NOUS EMPÊCHAIT PAS D'AVOIR BEAUCOUP D'AMIES FRANÇAISES.

NOTRE INSTITUTRICE ÉTAIT UNE FEMME AIGRIE ET RACISTE. C'EST À CAUSE DE PERSONNES COMME ELLE QUE LA GUERRE A ÉCLATÉ.

VOUS ENTENDEZ, MES ENFANTS ?

LES ARABES ONT TOUJOURS DES POUX, IL NE FAUT JAMAIS LES APPROCHER !

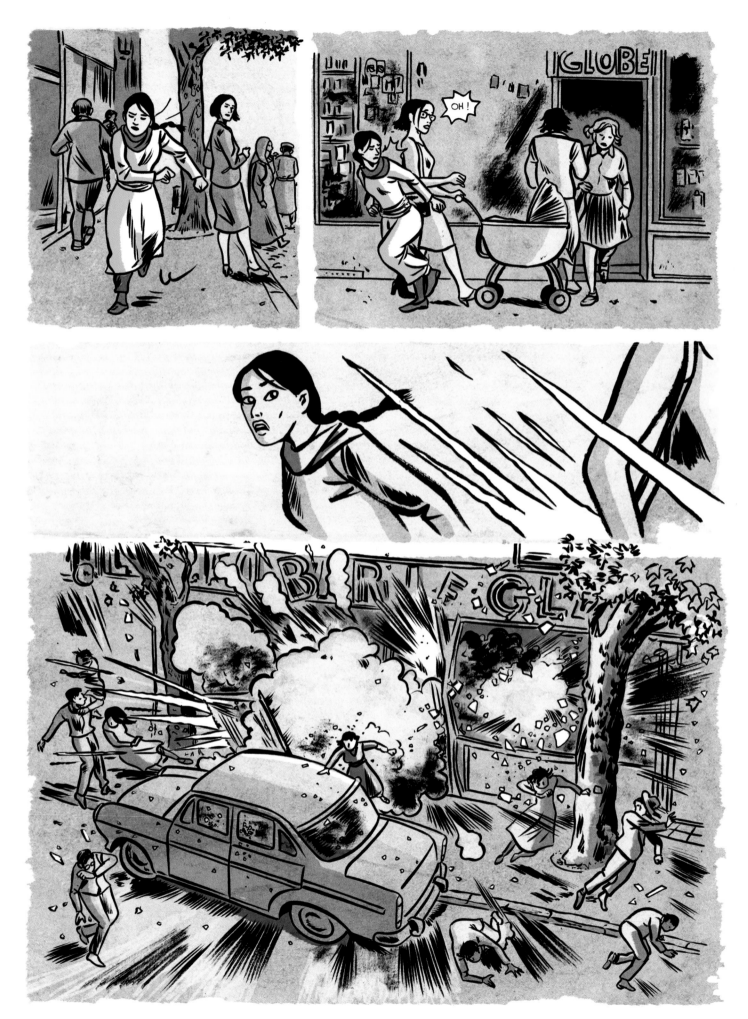

J'AI PARLÉ LONGTEMPS, LONGTEMPS, POUR QU'ON ME LAISSE PASSER.

LES JEUNES SOLDATS SE MOQUAIENT DE MOI. ILS AVAIENT 2 OU 3 ANS DE PLUS QUE MOI, À PEINE.

UN GRADÉ A FINI PAR DESCENDRE DE SON BUREAU À FORCE DE ME VOIR TOURNER.

JE LUI AI DIT QUE JE CONNAISSAIS LE PRÉFET D'ALGER. IL NE M'A PAS CRUE UNE SECONDE MAIS JE PENSE QUE MON COURAGE ET MA TÉNACITÉ L'ONT IMPRESSIONNÉ.

JE L'AI SUIVI EN SILENCE.

J'AI TRÈS VITE COMPRIS QUE J'AVAIS VU JUSTE...

... IL M'AVAIT RÉPONDU SANS MÊME AVOIR DEMANDÉ MON NOM.

C'EST CE JOUR-LÀ QUE J'AI DÉCIDÉ DE REJOINDRE LA RÉSISTANCE.

SALAH, TU CACHERAS L'ARME DANS LE PANIER.

DIDOUCHE FERA SEMBLANT D'AVOIR OUBLIÉ SES PAPIERS. IL PASSERA DEVANT VOUS ET FERA DU BAZAR AU BARRAGE, LES MILITAIRES SERONT DÉBORDÉS.

DJAMILA ET TOI, VOUS FEREZ SEMBLANT D'ÊTRE MARIÉS. AVEC DE LA CHANCE, ELLE NE SERA PAS FOUILLÉE.

QUAND TU SERAS À L'ANGLE DE LA RUE, TU ATTENDRAS TA CIBLE.

52

FAIS CE QUE TU AS À FAIRE.

LE CORPS ÉTAIT TOMBÉ SANS BRUIT, COMME SI LA VIE L'AVAIT INSTANTANÉMENT QUITTÉ. C'ÉTAIT TERRIFIANT.

QU'EST-CE QUE C'ÉTAIT ?

CETTE JEUNE FILLE RENTRAIT CHEZ ELLE APRÈS L'ÉCOLE.

POUR MOI, C'ÉTAIT MÊLÉ. MAIS L'ENFERMEMENT DE MON PÈRE A ÉTÉ LE DÉCLENCHEUR. IL Y AVAIT AUSSI TOUTES CES PERSONNES, COMME MON INSTITUTRICE, QUI PERPÉTRAIENT DES INJUSTICES TOUS LES JOURS.

VOUS SEMBLEZ REGRETTER VOS ACTES ?

JE REGRETTE DE NE PAS AVOIR EU LE CHOIX... MAIS JE NE REGRETTE PAS D'AVOIR PARTICIPÉ À L'INDÉPENDANCE. L'INDÉPENDANCE, C'EST LA LIBERTÉ, ET C'EST IMPORTANT DE SE BATTRE POUR LA LIBERTÉ.

MON PÈRE A ÉTÉ SOLDAT EN ALGÉRIE. MAIS IL N'EN PARLE PAS COMME VOUS... JE CROIS QU'IL N'A PAS LA SENSATION D'AVOIR PARTICIPÉ À UN COMBAT HONORABLE COMME LE COMBAT DES ALGÉRIENS.

ALORS IL DOIT EN PARLER. LA RÉSISTANCE, C'EST S'EXPRIMER SUR LES SUJETS QU'ON VEUT TAIRE.

Résister, c'est s'exprimer ?

VOUS AVEZ PASSÉ TOUTE LA GUERRE À ALGER ?

NON, J'AI FINI PAR REJOINDRE LE MAQUIS LE JOUR OÙ J'AI ÉTÉ DÉNONCÉE.

57

JE ME RENDS VITE CHEZ MA TANTE, MAIS SON MARI REFUSE DE ME FAIRE ENTRER. IL ME DIT QU'IL NE VEUT PAS ENTENDRE PARLER DE NOS HISTOIRES.

JE COURS PARTOUT DANS LA VILLE EN ÉVITANT LES BARRAGES. MAIS JE N'AI NULLE PART OÙ ALLER. MES AMIS, NOS VOISINS REFUSENT DE ME CACHER. JE COMMENCE À AVOIR TRÈS PEUR D'ÊTRE ATTRAPÉE ET TORTURÉE.

UN ALGÉRIEN QUE JE CONNAISSAIS BIEN S'EST ARRÊTÉ. IL M'A CACHÉE À L'ARRIÈRE DE SA REMORQUE, SOUS DES COUVERTURES, POUR M'EMMENER HORS D'ALGER. COMME IL FALLAIT CONSERVER SON CHARGEMENT POUR ME CACHER, IL N'A PAS TERMINÉ SA TOURNÉE !

ON A DÛ FRANCHIR CINQ BARRAGES AVEC LES FOUILLES, LA PEUR D'ÊTRE PRISE POUR MOI ET POUR CET HOMME QUI M'EMMENAIT !

PUIS NOUS SOMMES SORTIS D'ALGER EN DIRECTION DE L'EST...

À CETTE PÉRIODE-LÀ, L'ARMÉE FRANÇAISE PRATIQUAIT LA POLITIQUE DU REGROUPEMENT : DES ZONES ENTIÈRES ÉTAIENT INTERDITES AUX ALGÉRIENS, ET TOUTE PERSONNE SURPRISE ÉTAIT EXÉCUTÉE SUR PLACE.

AU FUR ET À MESURE DE MON ÉLOIGNEMENT, JE DÉCOUVRAIS DES MAISONS DÉTRUITES, DES CHAMPS BRÛLÉS...

60

LES SOLDATS AVAIENT CONDAMNÉ LA PLUPART DES DOUARS POUR EMPÊCHER LES COMBATTANTS DE S'Y RÉFUGIER. LES VILLAGEOIS ÉTAIENT PARQUÉS DANS DES CAMPS MILITAIRES. LA CAMPAGNE ALGÉRIENNE ÉTAIT ÉTEINTE.

ON A MÊME SOUPÇONNÉ LES FRANÇAIS D'UTILISER DES « BIDONS SPÉCIAUX », DES BOMBES AU NAPALM, SUR LES MAQUISARDS ET LES CIVILS... CECI BIEN AVANT LES AMÉRICAINS AU VIETNAM.

ON EN A SI PEU PARLÉ...

ENFIN, NOUS SOMMES ARRIVÉS CHEZ UNE VIEILLE KABYLE QUI AVAIT SOUVENT GARDÉ CET HOMME QUAND IL ÉTAIT PETIT.

ELLE S'APPELAIT LUNJA «CELLE QUI RÈGNE SUR TERRE ».

ELLE HABITAIT UNE TOUTE PETITE MAISON DE DEUX PIÈCES OÙ ILS VIVAIENT À CINQ !

CETTE FEMME M'A NOURRIE COMME SI J'ÉTAIS SA PROPRE FILLE.

ELLE M'A CACHÉE À SES RISQUES ET PÉRILS ET À CEUX DE SA FAMILLE.

L'ARMÉE FAISAIT DES DESCENTES FRÉQUENTES DANS LES DOUARS POUR TRAQUER DES MOUDJAHIDINES.

QUAND ELLES LE POUVAIENT, LES FEMMES BARBOUILLAIENT LEURS ROBES DE BOUSE DE VACHE, LEURS VISAGES ET LEURS MAINS DE FUMIER, LEURS PIEDS DE SUIE POUR SE FAIRE REPOUSSANTES ET ÉVITER L'ASSAUT DES HOMMES.

MALGRÉ TOUT, LES VIOLS COLLECTIFS ET LES HUMILIATIONS RESTAIENT MONNAIE COURANTE...

61

LE JOUR, ON DORMAIT À LA BELLE ÉTOILE OU CHEZ L'HABITANT QUAND ON S'ARRÊTAIT DANS UN VILLAGE.

LES FEMMES ÉTAIENT SOUVENT RELÉGUÉES AUX TÂCHES DOMESTIQUES. NOUS ÉTIONS CHARGÉES DE LA NOURRITURE, DE L'EAU ET AUSSI DE LA CORVÉE DU PORT DE RADIO, QUI PESAIT SI LOURDE QU'ELLE RENDAIT TOUTE FUITE DIFFICILE.

NOUS SERVIONS À DIFFUSER LES TRACTS POUR INFORMER LES POPULATIONS, OU POUR TRANSMETTRE DES INSTRUCTIONS À D'AUTRES GROUPES ARMÉS.

CERTAINES ÉTAIENT AUSSI INFIRMIÈRES OU MÉDECINS.

J'AI FINI PAR TOMBER SUR UNE DIRECTIVE QUI INCITAIT À REFOULER LES RÉSISTANTES QUI VOULAIENT SE RÉFUGIER AU MAQUIS.

C'ÉTAIT TELLEMENT INJUSTE... ET SANS PARLER DES CONSÉQUENCES POUR ELLES !

QUELQUES-UNES PARTICIPAIENT AUX COMBATS, BIEN SÛR, MAIS DURANT CETTE PÉRIODE, JE N'AI JAMAIS VU DE FEMMES GRADÉES OU CHEFS...

ON NOUS OBLIGEAIT À METTRE UNE GANDOURA SUR LE TREILLIS, AU RISQUE DE NE PAS POUVOIR NOUS ENFUIR PENDANT UNE ATTAQUE.

63

TU ES RESTÉE LONGTEMPS AU MAQUIS ?

ON A FINI PAR M'ENVOYER À LA FRONTIÈRE TUNISIENNE, DANS UN FOYER POUR MALADES, AVEC INTERDICTION DE SORTIR SANS AUTORISATION.

J'AVAIS AIDÉ LE FLN ET MAINTENANT ON M'ENFERMAIT COMME UNE PRISONNIÈRE. L'INDÉPENDANCE APPROCHAIT, LA HIÉRARCHIE ÉCARTAIT LES RÉSISTANTES POUR ÉTABLIR UN ORDRE MASCULIN... NOUS ÉTIONS BEAUCOUP DE FEMMES DANS LE MÊME CAS.

LÀ-BAS, J'AI DÉCOUVERT UN AUTRE VISAGE DE LA RÉSISTANCE : LES MISSIONS DE DESTRUCTION CONTRE LES VILLAGES QUI REFUSAIENT DE COLLABORER, LES COMMANDOS PUNITIFS CONTRE LES FAMILLES DE HARKIS ENRÔLÉS DE FORCE, LA PRESSION QUOTIDIENNE CONTRE CEUX QUI VOULAIENT RESTER NEUTRES !

ON COUPAIT LES TÊTES, ON OPPRIMAIT.

LA CAMPAGNE ALGÉRIENNE DEVAIT SE PROTÉGER DE L'ARMÉE LE JOUR ET DES «FELLAGAS» LA NUIT...

QUAND ILS NOUS ONT RENVOYÉES À LA FRONTIÈRE ALGÉRIENNE, LE TRIBUNAL DU FLN A EXÉCUTÉ MON AMIE PARCE QU'ELLE OCCASIONNAIT DES «TROUBLES ENTRE MAQUISARDS ».

C'ÉTAIT LE MONDE À L'ENVERS !

ALORS, JE ME SUIS ENFUIE...

67

69

BON, RESTE PLUS QU'À TROUVER L'AMIE DE DJAMILA, SON VILLAGE N'A PAS L'AIR TROP LOIN....

73

74

78

JE DÉCIDAI DE PROFITER DE MA DERNIÈRE JOURNÉE DE VACANCES POUR RESTER DANS CE BEAU VILLAGE ET POURSUIVRE LA DISCUSSION AVEC BERNADETTE.

ELLE ÉTAIT DEVENUE AMIE AVEC DJAMILA DANS LES ANNÉES 70 MALGRÉ LEURS DIFFÉRENCES. LA GUERRE, ELLE L'A FAITE CONTRE LE COLONIALISME, PAS CONTRE LES FRANÇAIS, M'AVAIT EXPLIQUÉ BERNADETTE.

BERNADETTE AVAIT ÉGALEMENT ÉVOQUÉ UN LIVRE DE CAMUS QUI LES AVAIT RÉUNIES.

Pharmacie
صيدلية

AUJOURD'HUI, ELLE ÉCRIVAIT, À SA MANIÈRE, L'HISTOIRE DE CEUX QUI SONT RESTÉS...

LA PLURALITÉ DES POINTS DE VUE M'AVAIT FAIT PRENDRE CONSCIENCE DE LA COMPLEXITÉ D'ENGLOBER UN TEL CONFLIT... ET LA DIFFICULTÉ D'APPRÉHENDER UN TÉMOIGNAGE SANS LE JUGER.

PLUSIEURS LIVRES M'AVAIENT DÉRANGÉE QUAND ILS ABORDAIENT LES ATTENTATS COMME UN EXPLOIT... LES RÉCITS DE SOLDATS ÉGALEMENT QUAND ILS PARLAIENT DE « BICOTS QUI TRAHISSENT MÊME LEURS FRÈRES »...

MA BELLE, REVIENS ME VOIR UN JOUR, MAIS NE TARDE PAS TROP !
CEPENDANT, IL ME RESTAIT UNE DERNIÈRE PERSONNE À INTERROGER : LA TROISIÈME FEMME DE LA PHOTOGRAPHIE.
HEUREUSEMENT, LES ACTIVITÉS DE MADAME YELLES DANS LA POLITIQUE M'ONT FACILITÉ LA TÂCHE. JE LUI AI ENVOYÉ UN COURRIEL EN LUI DEMANDANT UNE ENTREVUE TÉLÉPHONIQUE.
ELLE M'A RÉPONDU TRÈS VITE : ELLE VENAIT BIENTÔT EN FRANCE POUR LA PROMOTION D'UNE ASSOCIATION. NOUS AVONS ARRÊTÉ UNE DATE POUR NOUS VOIR.
LES DEUX SAVOIES

83

L'ENFANT PLEURAIT DANS MES BRAS.

VOUS, LÀ, VOUS POUVEZ Y ALLER.

QUEL BONHEUR QUAND JE SUIS PASSÉE ! JE LUI AI TENDU SON ENFANT, ELLE EST REPARTIE. JE N'AI MÊME PAS EU LE TEMPS DE LA REMERCIER.

C'ÉTAIT UNE EUROPÉENNE. ELLE N'ÉTAIT MÊME PAS MUSULMANE MAIS ELLE A FAIT PREUVE D'UN GRAND COURAGE POUR ME SAUVER... BIEN PLUS QUE N'IMPORTE QUEL RÉSISTANT. LE COURAGE, CE N'EST JAMAIS ÉVIDENT À DÉFINIR.

QUAND J'AI REJOINT LE MAQUIS, JE SUIS DEVENUE INFIRMIÈRE. SOUVENT LES FEMMES ÉTAIENT INFIRMIÈRES. MAIS NOUS ÉTIONS PLUSIEURS À PRENDRE LES ARMES POUR LES RONDES ET EN CAS DE COMBAT. LES FEMMES ÉTAIENT TOUJOURS PLACÉES SUR UN PIED D'ÉGALITÉ. CHACUNE AVAIT LA PAROLE DANS LES DÉCISIONS MILITAIRES.

COMME J'ÉTAIS ALLÉE À LA FACULTÉ, JE RÉDIGEAIS AUSSI LES CORRESPONDANCES. ON A FAIT BEAUCOUP D'ARTICLES CONTRE LA TORTURE. NOTRE COMBAT MILITANT EFFAÇAIT LES DIFFÉRENCES SOCIALES ET SEXUELLES.

84

DANS LA PETITE COUR, LES SOLDATS ONT ABATTU FEMMES ET VIEILLARDS SOUS NOS YEUX, FROIDEMENT.

SANS RÉFLÉCHIR, NOUS AVONS COURU EN DIRECTION DU GUET-APENS POUR LES AIDER.

MAIS JE N'AI PAS EU LE TEMPS D'EN DIRE PLUS, YACEF S'EST ÉCROULÉ D'UN BLOC.

J'AI LEVÉ LES YEUX : DES SOLDATS COURAIENT DANS MA DIRECTION.

JE ME SUIS ALLONGÉE ET J'AI TIRÉ UNE SALVE.

YACEF NE BOUGEAIT PLUS, IL AVAIT DU SANG PARTOUT.

IL EST MORT PENDANT SA DERNIÈRE PRIÈRE.

87

AAAAH !

88

89

90

93

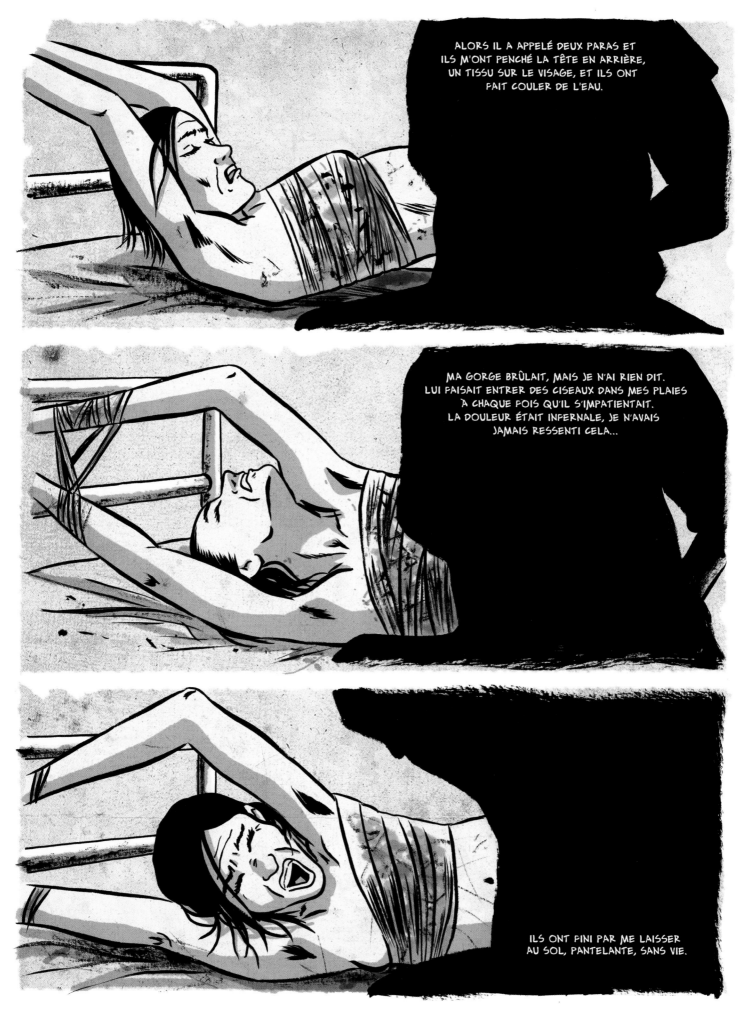

SUR LES OREILLES, ET LES PARTIES GÉNITALES.

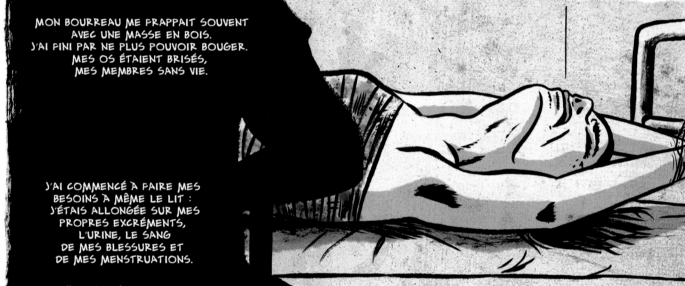

MON BOURREAU ME FRAPPAIT SOUVENT AVEC UNE MASSE EN BOIS. J'AI FINI PAR NE PLUS POUVOIR BOUGER. MES OS ÉTAIENT BRISÉS, MES MEMBRES SANS VIE.

J'AI COMMENCÉ À FAIRE MES BESOINS À MÊME LE LIT : J'ÉTAIS ALLONGÉE SUR MES PROPRES EXCRÉMENTS, L'URINE, LE SANG DE MES BLESSURES ET DE MES MENSTRUATIONS.

MON BOURREAU ME RÉPÉTAIT TOUJOURS LES MÊMES QUESTIONS.

EN SOURIANT...

99

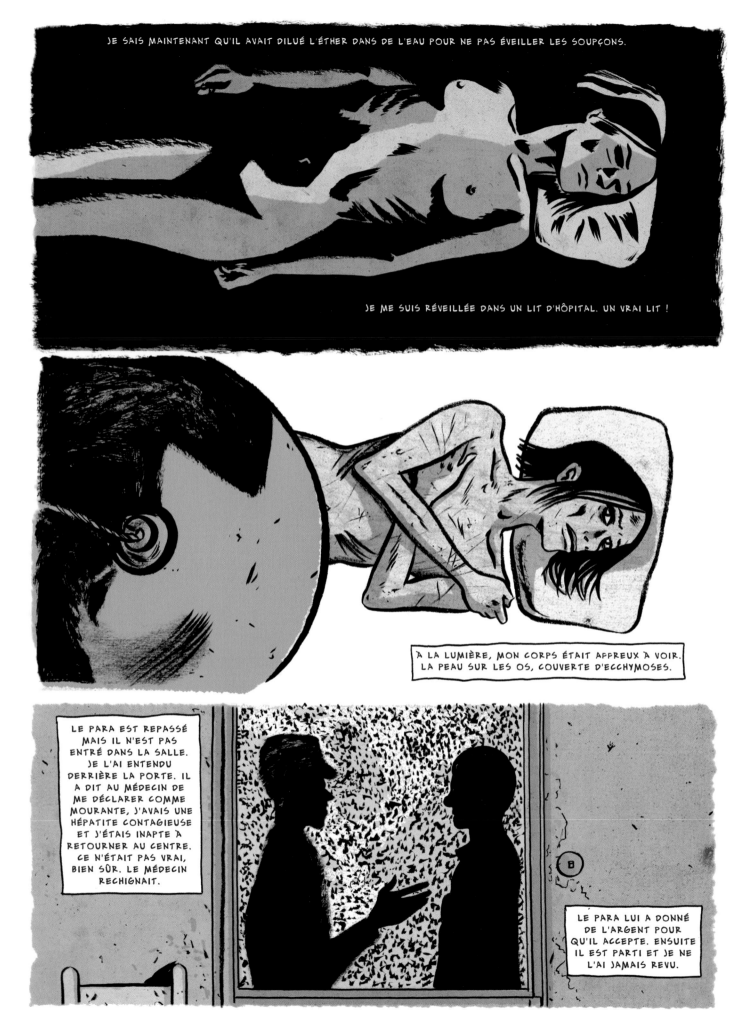

JE SAIS MAINTENANT QU'IL AVAIT DILUÉ L'ÉTHER DANS DE L'EAU POUR NE PAS ÉVEILLER LES SOUPÇONS.

JE ME SUIS RÉVEILLÉE DANS UN LIT D'HÔPITAL. UN VRAI LIT !

À LA LUMIÈRE, MON CORPS ÉTAIT AFFREUX À VOIR. LA PEAU SUR LES OS, COUVERTE D'ECCHYMOSES.

LE PARA EST REPASSÉ MAIS IL N'EST PAS ENTRÉ DANS LA SALLE. JE L'AI ENTENDU DERRIÈRE LA PORTE. IL A DIT AU MÉDECIN DE ME DÉCLARER COMME MOURANTE, J'AVAIS UNE HÉPATITE CONTAGIEUSE ET J'ÉTAIS INAPTE À RETOURNER AU CENTRE. CE N'ÉTAIT PAS VRAI, BIEN SÛR. LE MÉDECIN RECHIGNAIT.

LE PARA LUI A DONNÉ DE L'ARGENT POUR QU'IL ACCEPTE. ENSUITE IL EST PARTI ET JE NE L'AI JAMAIS REVU.

PUIS IL Y A EU LE CESSEZ-LE-FEU DANS TOUTE L'ALGÉRIE.
LA CONCLUSION DU CESSEZ-LE-FEU EN ALGÉRIE, LES DISPOSITIONS ADOPTÉES POUR QUE LES POPULATIONS Y DISPOSENT DE LEUR DESTIN ; LA PERSPECTIVE QUI S'OUVRE SUR L'AVÈNEMENT D'UNE ALGÉRIE INDÉPENDANTE, COOPÉRANT ÉTROITEMENT AVEC NOUS, SATISFONT LA RAISON DE LA FRANCE... (DISCOURS DU GÉNÉRAL DE GAULLE DU 18 MARS 1962)
À L'ANNONCE DU CESSEZ-LE-FEU, LA FÊTE A VITE LAISSÉ PLACE AUX MASSACRES ET À LA FOLIE. CHAQUE MATIN, JE TROUVAIS DES CORPS DÉCAPITÉS, LAISSÉS À LA HÂTE À MÊME LE SOL.
LE MONDE ÉTAIT DEVENU FOU : ON TUAIT POUR UN RIEN, POUR UN REGARD, POUR UNE COULEUR DE PEAU. POUR CHAQUE MEURTRE D'UN ALGÉRIEN, ON TUAIT 10 FRANÇAIS ET INVERSEMENT.
C'ÉTAIT LA SPIRALE INFERNALE DE L'HORREUR. ON ENTENDAIT LES COUPS DE FEU LE JOUR PARTOUT EN VILLE. ET IL FALLAIT FAIRE SEMBLANT DE NE RIEN VOIR SI ON NE VOULAIT PAS ÊTRE LE PROCHAIN SUR LA LISTE.

AUJOURD'HUI ENCORE, ON INTERDIT L'APPRENTISSAGE DE LA LANGUE BERBÈRE DANS LES ÉCOLES DE KABYLIE. ON FAIT COMME LA FRANCE À L'ÉPOQUE DE L'OCCUPATION !

JE SUIS TOUJOURS FIÈRE D'AVOIR PARTICIPÉ À LA RÉVOLUTION MAIS J'AIMERAIS ÉPARGNER LA GUERRE AUX GÉNÉRATIONS FUTURES. LA RÉVOLUTION, ELLE EST BELLE POUR LE COURAGE MAIS ELLE N'EST PAS BELLE DANS SA VÉRITÉ.

C'EST ÇA QUI PERD LES GENS : ILS VEULENT TOUJOURS TRANSFORMER LA VÉRITÉ, ILS VEULENT TOUJOURS CHANGER LEURS SOUVENIRS.

« TANT DE FEMMES ET TANT D'HOMMES ONT ACCEPTÉ DE VOIR LEUR HISTOIRE PERSONNELLE ÉCRASÉE PAR LA GRANDE HISTOIRE PARCE QU'ILS PENSAIENT POUVOIR LA CHANGER... FAUT-IL JETER LEUR HISTOIRE AUX CHIENS ? AVANT DE JETER MON HISTOIRE, J'ESSAIERAI DE L'ÉCRIRE... »

VOILÀ CE QU'A ÉCRIT WASSYLA TAMZALI.

MOI AUSSI, AVANT DE JETER MA PROPRE HISTOIRE, J'AI VOULU TOUT RACONTER. EN PARLER POUR NE PAS OUBLIER. EN PARLER POUR NE PAS TOMBER DANS LE MENSONGE.

105

VOILÀ POURQUOI J'AI VOULU, GRÂCE À MON ASSOCIATION, PARTAGER LES LETTRES DE SOLDATS FRANÇAIS : PARTAGER LES TÉMOIGNAGES DE MES ENNEMIS DE L'ÉPOQUE.

MOI QUI AI PARTICIPÉ À LEUR DESTRUCTION...

107

ET NOUS, QUE RACONTERONS-NOUS DE NOTRE HISTOIRE ET DE NOS MÉMOIRES ?

114

C'EST LA QUESTION QUE NOUS DEVRONS,
UN JOUR, NOUS POSER À NOTRE TOUR...

Les auteurs tiennent à remercier Claude Latta et Cathy pour la relecture historique et attentive de l'album, ainsi que Marc et Anne-Marie Bonnet et Malika leur guide improvisée à Alger.

Deloupy tient à remercier particulièrement Marco pour la photo qui a inspiré la première case de la page 70.

Swann MERALLI est né en 1985 à Lyon. Diplômé d'une école d'ingénierie, il alterne missions dans l'urbanisme et collaborations artistiques. En parallèle de son activité dans le court-métrage qui lui a permis de réaliser une dizaine de films courts dont *Chronique de banlieue* (2015) et *Persona* (2017), il collabore régulièrement avec des dessinateurs dans le domaine de la bande dessinée et de la littérature jeunesse. Il a notamment publié *L'Homme*, éditions Jarjille avec Ulric Stahl, une série de *Petits Livres Qui Disent* avec Carole Crouzet, P'tit Glénat, ainsi que l'album jeunesse *Fermons les yeux* avec Laura Deo, Alice éditions.

Né à Saint-Etienne, diplômé des Beaux-Arts d'Angoulême section bande-dessinée, **Deloupy** co-fonde la maison d'édition associative Jarjille en 2004. Il s'essaie à différents genres : *Les aventures de la librairie L'Introuvable* (5 tomes, avec Alep) ; *Journal Approximatif* (récit autobiographique, 3 tomes) ; *Love Story à l'Iranienne* (Prix France Info de la BD d'Actualité et de Reportage) ; l'historique *Algériennes 1954-1962* ; le sensuel et érotique *Pour la peau*... La crise sanitaire et ses conséquences lui inspirent des illustrations qu'il publie dans les recueils *Covidland* et *Le Monde d'Après*. En 2021, il publie *Impact*, un polar sur fond de drame social scénarisé par Gilles Rochier.

118

PAPIER À BASE DE
FIBRES CERTIFIÉES

MARABOUT
s'engage pour l'environnement
en réduisant l'empreinte carbone
de ses livres.
Celle de cet exemplaire est de :
1000 g éq. CO_2
Rendez-vous sur
www.marabout-durable.fr

Imprimé en Espagne par Graficas Estella
pour le compte des éditions Marabout
Hachette Livre, 58 Jean Bleuzen, CS
70007, 92178 Vanves Cedex
Dépôt légal : janvier 2022
ISBN : 978-2-501-12100-2
77 7430 9
Édition 04

Pour aller plus loin ...

Sur le conflit Algérien :
• *L'Algérie en couleurs - 1954-1962*. Photographies d'appelés pendant la guerre de Slimane Zeghidour et Tramor Quemeneur - Editions Les Arènes.
• *Les Ennemis complémentaires*, de Germaine Tillon, éditions Tirésias.
• *Histoire dessinée de la guerre d'Algérie*, de B. Stora et S. Vassant, édition du Seuil, pour un aperçu global et pédagogique qui a su conserver la pluralité des conflits au sein d'une guerre complexe.
• *Mémoires d'Algérie*, de B. Stora et T. Quemeneur, Collection Librio, édition Flammarion. Un livre qui retrace la guerre à travers une multiplicité de documents et discours, tant officiels que privés.
• *La Bataille d'Alger*, film de G. Potecorvo, Igor et Casbah Film. Un film tourné peu de temps après la guerre d'Algérie et scénarisé d'après l'autobiographie d'un ancien combattant du FLN.
• *La Guerre d'indépendance des Algériens*, présenté par Raphaëlle Branche, éditions Perrin. Un ouvrage plus conséquent, à ne pas commencer en première lecture, qui a eu la merveilleuse idée de faire parler des historiens français depuis le point de vue des Algériens... et inversement.

Sur les soldats du contingent français :
• *Je vous écris d'Algérie*, lettres de J-P. Villaret et M. Courilleau, Editions du CVRH, qui a eu l'intelligence de mettre en miroir deux correspondances d'appelés.
• *Pacifier, tuer, lettres d'un soldat à sa famille*, lettres de Jean Marton, Edition Syllepse
• *R.A.S.* film de Yves Boisset, Production de Tana, Sancrosiap et Transinter Films. Film inspiré de faits réels d'après l'interview du réalisateur.

Sur les « enfants d'appelés » :
• *Les Héritiers du silence* de F. Dosse, édition Stock.

Sur les Harkis :
• *Fierté de Harkis* de C.P. Chavanon, documentaire, Octogone production.
• *Des vies : 62 enfants de Harkis racontent* sous la direction de F. Besnacilancou, Editions de L'Atelier.

Et, bien sûr, sur les résistantes Algériennes :
• *Femmes Algériennes 1960*, de Marc Garanger, éditions Atlantica.
• *Moudjahidate*, de A. Dols, documentaire, Association Hybrid Pulse. La réalisatrice interroge différentes résistantes sur leurs faits d'arme et leurs opinions, un document rare à conserver !
• *Une éducation algérienne* de W. Tamzali, édition Gallimard. Un parcours qui retrace tant les années de guerre que l'après-guerre et les années noires.
• *La Bombe*, Court-Métrage de Rabah Laradji.
• Et surtout *Algérienne*, de Anne Nivat et Louisette Ighilahriz, Fayard et Calmann-Lévy. L'un des rares témoignages complets d'une résistante pendant la guerre d'indépendance, raconté avec beaucoup d'honnêteté et de clairvoyance.